Eva Setticasi

LES ÉDITIONS Z'AILÉES
22, rue Ste-Anne C.P. 6033
Ville-Marie (Québec) J9V 2E9
Téléphone : 819-622-1313
Télécopieur : 819-622-1333
www.zailees.com

DIFFUSION ET DISTRIBUTION : MESSAGERIES ADP
2315, rue de la Province
Longueuil (Québec) J4G 1G4
Téléphone : 450-640-1237
Télécopieur : 450-674-6237
www.messageries-adp.com
*filiale du Groupe Sogides inc.,
 filiale du Groupe Livre Québécor Media inc.

Infographie : Impression et design Grafi*k*
Illustration de la page couverture : Richard Petit
Maquette de la page couverture : Gabrielle Leblanc

Nouvelle édition : août 2011
Dépôt légal : 2009
Bibliothèque nationale du Québec
Bibliothèque nationale du Canada

ISBN : 978-2-923910-09-3

Imprimé au Canada sur papier recyclé.

Les Éditions Z'ailées remercient la SODEC
pour l'aide accordée à leur programme
de publication.

SODEC
Québec

Gouvernement du Québec — Programme de crédit d'impôt pour
l'édition de livres — Gestion SODEC

ZONE FROUSSE

TERREUR AU
CAMP D'HIVER

ZACHARY ICKS

DERNIÈRES MINUTES!

Pascal lève les yeux sur l'horloge murale de la classe : quatorze heures trente-six. Comme la journée est longue! S'il arrêtait de regarder l'heure aux trois minutes aussi, peut-être que la journée passerait plus vite! Mais madame Bergeron, la remplaçante aux longues boucles rousses, est tellement plus sévère que Carmen, sa « vraie » prof! Si l'activité était plus amusante, aussi… En fait, n'importe quoi serait plus intéressant que de faire des exercices de mathématiques dans leur cahier, en silence. En plus, dehors, de gros flocons fraîchement tombés promettent des heures de plaisir pour la semaine de relâche qui commencera dans moins d'une demi-heure. Ils auraient pu s'amuser pendant l'après-midi, mais non, madame Bergeron a décidé de les punir parce qu'ils lui ont joué un tout petit mauvais tour. En plus, c'était drôle, même le directeur a souri quand il est entré dans la classe et a trouvé madame Bergeron collée à sa chaise par de la colle super puissante qu'Ubald avait apportée de sa maison. Sauf que la suppléante a appris que c'était lui, Pascal, qui a eu l'idée et qui a appliqué la colle… Il n'aurait pas su dire pourquoi il l'avait fait, mais il a bien rigolé, et ses amis l'ont beaucoup félicité d'avoir osé faire ça.

Mais bon, on dirait bien que

c'était une mauvaise idée : pendant que toutes les autres classes jouent soit à des jeux vidéos, soit à des jeux de société ou écoutent un film en guise de récompense, la classe de quatrième année de Carmen fait encore des mathématiques!

— Monsieur Houle, la Terre vous rappelle.

Pascal baisse la tête en rougissant alors que quelques regards se tournent vers lui. Il regarde sa montre : quatorze heures trente-neuf. À peine trois minutes se sont écoulées!

Il reporte son attention sur son cahier. 10 X 3 = ____. Comme si c'était intéressant! Des exclamations lui parviennent de derrière le mur. La classe de cinquième de madame Monique, où s'amuse son ami Érick, manifeste sa joie d'écouter le dernier film d'Indiana Jones.

Soudain, un petit papier apparaît sur son bureau. Il le prend en vitesse dans sa main avant que Bergeronne la démone, comme ils l'appellent dans la cour d'école, ne voie le papier et ne le saisisse. Elle l'a déjà fait une fois depuis qu'elle remplace madame Carmen, et pas question que cette fois-ci Pascal se fasse surprendre. L'autre fois, il a lavé des bureaux pendant toute une récréation pour avoir répondu au papier qui venait de Christine.

— Oui, madame Turcotte?

— Madame Bergeron, je peux aller à la toilette?

C'est le moment : l'attention de Bergeronne la démone est prise pour quelques instants. Pascal baisse la tête vers sa main, sur ses cuisses, et ouvre le papier. *On sera bientôt débarrassés de Bergeronne la démone. J'ai hâte de voir madame Carmen.*

Pascal voudrait répondre « Tout le monde a hâte de revoir madame Carmen », mais il préfère replacer le papier froissé dans sa main et le glisser dans sa poche de pantalon. Ses amis et lui passeront la semaine de congé avec madame Carmen, dans son camp de vacances du lac Frippé. Chaque année, madame Carmen organise la semaine de l'horreur du printemps dans le camp de vacances qu'elle dirige avec son mari, monsieur Georges, le directeur de l'école. Ainsi, chaque année, une remplaçante prend sa place pendant les deux semaines qui précèdent la semaine de relâche pour qu'elle puisse monter les décors, préparer les activités, répéter avec les comédiens... Car c'est une semaine interactive qui attend les chanceux qui peuvent participer au camp d'hiver! Les places sont tirées au sort parmi tous ceux qui s'inscrivent, car même si le camp peut recevoir dix groupes de douze campeurs, des demandes proviennent de plusieurs villes du Québec. Heureusement, plus de places sont réservées à ceux qui habitent Les Bretagnes, et cette année, Pascal, Érick, Christine et Ubald ont été pigés! De leur gang, seule Félicia n'a pas été chanceuse, mais ses parents vont l'emmener dans le Sud, alors elle ne se plaint pas.

Il est quatorze heures quarante-six. Enfin, moins de quinze minutes!

On frappe à la porte de la classe. C'est Félicia qui revient des toilettes, accompagnée de monsieur Georges, qui reste dans le cadre de la porte et appelle Bergeronne la démone à le rejoindre. Dès qu'ils sont dans le couloir, les murmures s'élèvent partout dans la classe, et Pascal se tourne vers Christine, assise à sa droite. Elle lui dit : « Il reste dix minutes! J'ai hâte à ce soir! »

– Il faut que tu sois prête à six heures, ma mère est pressée pour son retour au travail.

– Je sais, Pascalou, ça fait cinq fois que tu me le dis aujourd'hui! Je serai prête!

Bergeronne la démone crie : « Mais ce sont des petits voyous, Monsieur Siméon. Vous devriez me laisser les punir! » dans le corridor. Elle et monsieur Georges semblent avoir une discussion qui tourne mal. « Laissez-moi avoir ma petite vengeance! » hurle la Bergeronne. « Ils sont à moi! À MOI! » ajoute-t-elle, avant que la voix de monsieur Georges tonne. « SUFFIT! » ordonne-t-il. Soudain, les voix des deux adultes se taisent et les enfants entendent les claquements des souliers de la démone qui s'éloigne. Monsieur Georges ouvre la porte.

— Vous pouvez préparer vos sacs, les enfants, et venir vous habiller dans le corridor.

Sous les cris de joie, Ubald lance un clin d'œil à Pascal. Ils se lèvent en même temps et se précipitent dans le couloir. Ils enfilent salopettes, manteaux et bottes d'hiver, sous l'œil vigilant du directeur.

LES X

Le soleil est fort pour la fin février, et Pascal marche avec un grand sourire accroché au visage : la semaine de terreur va bientôt commencer! À côté de lui, Ubald est tout aussi souriant : terminé le temps de tyrannie de Bergeronne la démone, et vivement quelques frissons et le retour de madame Carmen. Devant eux, Christine et Érick se chamaillent, sous le regard désapprobateur de Félicia, qui fait la baboune malgré les vacances.

Pascal avance vers elle, prenant le temps de se remplir la mitaine de la neige tombée dans la journée, et il lui donne un petit coup de coude.

— Pourquoi tu boudes?

— Je ne boude pas.

— Féliss, tu boudes.

Elle arrête de marcher et se tourne vers Pascal.

— J'aurais aimé ça aller avec vous au camp.

— Mais tu vas dans le Sud! proteste Ubald, avec sa petite voix flûtée.

— Mais vous ne serez pas là! Moi c'est avec vous que j'ai envie de passer ma semaine!

— Tu es sûre? demande Pascal.

— Oui! La plage, avec mes parents, ça ne sera pas aussi excitant que le camp avec vous!

Pendant qu'elle parle, Pascal lève

sa main pleine de neige et, comme elle termine sa phrase, il lui glisse la neige contre la nuque. Elle lâche un grand cri tandis que ses camarades éclatent de rire et se sauvent en courant, jusqu'à rattraper Érick et Christine. Félicia les rejoint bientôt, le visage tout rouge de colère, et Christine la prend par les épaules pour la réconforter.

Ils arrivent bientôt dans leur quartier résidentiel et se séparent. Pascal court jusqu'à sa maison, et les aboiements joyeux de Feldspath, son chien, résonnent dans le portique pendant qu'il déverrouille et ouvre la porte. Son gros toutou lui saute dans les bras et lui lèche le visage. Pascal le flatte derrière la tête en lui disant « T'es mon gros toutou d'amour! » sur un ton enfantin. Le gros labrador au poil blanc avec des reflets jaunes se laisse tomber sur ses pattes le temps que Pascal enlève ses vêtements d'hiver. Il se couche sur le dos, pour que son maître lui flatte la bedaine.

– Tu vas t'ennuyer de moi, hein, mon beau! Ben moi aussi!

Le chien jappe et balaie le plancher avec sa queue, puis Pascal descend à sa chambre pour finaliser ses bagages à l'aide de la liste fournie par madame Carmen. Il a, dans son sac, l'ingrédient essentiel pour un camp réussi : son costume de Freddy, son monstre de film d'horreur préféré. Chandail rayé rouge et noir, chapeau à large bord, gants avec de fausses griffes en plastique, jeans tachés et déchirés et surtout, son masque de visage brûlé! La soirée costumée sera une réussite : Érick aura son costume de Jason et Ubald enfilera celui de Michael Myers. Le trio infernal des films d'horreur sera encore réuni : à l'Halloween, ils avaient terrorisé les plus jeunes qui se promenaient avec leurs parents! Cette année, ils séviront lors de la soirée costumée du camp. C'est toujours étrange de voir Ubald se transformer : avec ses petites lunettes, son toupet blond relevé en pics et sa petite voix flûtée, il ne fait pas peur, mais quand il endosse le costume de la vedette des films *Halloween*, il devient un autre gars, comme s'il était possédé. Pour Érick, le costume lui va à merveille : il est grand et costaud, et ne parle pas beaucoup. Pour Pascal, le masque de Freddy est une façon de cacher son double menton, les boutons qu'il a déjà sur les joues, et ses cheveux un peu trop longs. Heureusement, son costume lui fait encore, et si jamais il se fait écœuré à cause de son embonpoint, ses amis prendront sa défense.

Personne n'ose s'opposer à Ubald le malin et Érick les poings. Surtout quand Karaté Christine est dans les parages.

Christine… Ses bouclettes brunes et ses grands yeux noirs feraient craquer n'importe qui. Si son charme n'est pas efficace, elle se rabat sur ses qualités de championne québécoise des 10-11 ans au karaté. Elle ne laisse jamais personne rire de son Pascalou préféré.

Le sac à costume est complet, tout comme le sac à bagage. Ne manque plus que son porte-bonheur, qu'il cache dans le tiroir de sa table de chevet. Comme il s'approche pour ouvrir le tiroir, il remarque la photo de lui, son chien et ses amis, à la dernière Halloween, quand ils avaient enfilé leurs costumes.

Sur tous les visages, de grands X rouges ont été tracés.

TEMPÊTE

— Mais qu'est-ce que ça veut dire?
murmure Pascal.

Sur tous les visages, des X
rouges, centrés sur le nez, barrent
les masques. La porte de la
maison s'ouvre. Pas le temps de
se questionner davantage. Pascal
ramasse son porte-bonheur dans le
tiroir et le glisse avec la photo dans
son sac de voyage. Ses amis auront
peut-être une idée de ce que ça veut
dire.

— Pascal, mon grand? Tu es là?

— J'arrive, maman.

Pascal monte les marches avec ses deux sacs de bagages, et embrasse sa mère qui se penche et le serre fort.

– Je vais m'ennuyer de toi, mon loup. Tu as tous tes bagages?

– Oui m'dam. Tout est là, je viens de vérifier.

– Parfait. Allez, on mange et on part. Christine sera prête?

– Oui.

Ils mangent en vitesse, et Pascal refile quelques légumes à Feldspath, qui le remercie en lui léchant généreusement les doigts.

Après le souper, Pascal brosse ses dents à fond, puis ajoute sa brosse à dents électrique à ses bagages. Ils sont désormais terminés!

Sa mère et lui embarquent dans

la voiture et se dirigent vers la maison de Christine dans la vieille voiture toute rouillée de la mère de Pascal. Christine les attend dans le portique de sa maison, et quelques instants plus tard, ils repartent vers le terminus d'autobus, où les attendent les autres campeurs.

Pascal et Christine descendent de la voiture et apportent leurs bagages. La mère de Pascal ne lui donne pas de baiser sur la joue, pour ne pas l'embarrasser, mais elle lui ébouriffe les cheveux et lui dit de faire attention à lui.

Les deux amis se dirigent vers Érick et Ubald. Ce sont les quatre ensemble qu'ils montent dans un autobus, où un élève de sixième année leur remet un autocollant où ils doivent écrire leur nom. Ubald inscrit *L'empereur Ubald*, Érick griffonne *Le puissant Rick*, Christine inscrit *Cricri* et Pascal, *Pascal Kruger*. Les quatre copains rigolent.

Comme l'autobus quitte le terminus pour les emmener au lac Frippé, la neige se remet à tomber par gros flocons, au grand plaisir des campeurs. Le lac est à plus de deux heures de route par beau temps, dans la forêt, au sud, vers la frontière américaine.

Pascal est assis dans le même banc que Christine, et ils parlent à voix basse.

— Qu'est-ce que tu penses de ce que Bergeronne la démone a dit quand elle est partie? demande Christine.

— Je ne sais pas. J'ai toujours pensé qu'elle était un peu folle, répond Pascal.

– Moi je sais : c'est une vraie démone, et elle va se venger de nos mauvais coups! glisse Ubald, assis devant eux avec Érick.

– Tu n'es pas drôle, U, rétorque Pascal.

– Ne fais pas ton peureux, Pascalou, dit Christine. On fait juste se poser des questions.

– Je ne suis pas peureux. Mais je pense qu'elle était assez folle, avec tous ses règlements, pour nous faire de vraies menaces.

– Je pense ça aussi, ajoute Christine.

– Voyons, c'est une prof. Elle ne vous fera pas de mal, dit Érick.

Pascal n'en est pas si sûr. Il devra lour montrer la photo avec les X rouges. Il ne veut pas leur en parler avant de la leur montrer.

Il a beaucoup réfléchi depuis qu'il a trouvé l'image marquée, et en est venu à une conclusion folle, mais qui lui semble logique : c'est Bergeronne la démone qui a inscrit les X rouges sur le cadre de la photo. Elle aurait eu le temps d'aller inscrire les X entre la fin des classes et l'arrivée de Pascal.

Et si ce n'est pas elle, sinon qui cela peut-il bien être?

Et si c'est elle, comment est-elle entrée dans la maison? Elle a peut-être trouvé la clé cachée sous un pot devant la maison. Si Pascal y avait pensé plus tôt, il aurait vérifié. Mais c'est trop tard.

Pascal regarde à l'extérieur. Tout le paysage est blanc de neige, à perte de vue. Le ciel n'est pas visible tellement la tempête est forte. Pascal est pris d'un frisson. C'est une grosse bordée de neige qui tombe. Il espère que le camp ne sera pas fermé!

Soudain, l'autobus dérape sur la chaussée glissante, et le conducteur crie : « Accrochez-vous les enfants! »

ACCIDENT

Un unique cri jaillit des bouches des quarante-huit enfants à bord de l'autobus qui glisse vers le sous-bois. Pascal hurle de toutes ses forces pour faire sortir la peur qui fait battre son cœur trop fort dans sa poitrine. Christine se lance dans ses bras, et il la serre de toutes ses forces.

Sans avertissement, l'autobus s'arrête d'un coup sec et ses passagers sont projetés vers l'avant. Pascal se frappe le front contre le banc d'Ubald et Érick, tandis qu'Érick tombe sur Ubald, qui a glissé par terre.

Pascal voit des étoiles quand il relève la tête. Il tourne son regard vers l'extérieur, et distingue des arbres debout. « Fiou! L'autobus ne s'est pas renversé! » pense-t-il.

Il ramène son regard vers l'intérieur de l'autobus, mais comme le paysage disparaît de son champ de vision, il aperçoit une silhouette dans la neige qui danse encore autour de l'autobus. La silhouette est debout et pointe l'autobus avec une main. Ses cheveux dansent dans le vent autour d'elle, et son manteau est soulevé par les rafales, mais c'est trop sombre pour que Pascal distingue des couleurs.

Le temps que Pascal reporte son regard vers l'extérieur, la silhouette a disparu. L'a-t-il imaginée? C'était peut-être juste un arbre qu'il ne voit plus dans la neige de la tempête.

Partout dans l'autobus, les enfants crient encore, plusieurs pleurent, et Pascal ramène son attention sur Christine. Elle a glissé par terre sous l'impact qui a frappé l'autobus, et elle ne bouge pas. Son corps est dans une drôle de position. Pascal émet un cri bien involontaire en poussant Christine d'une main. Ses copains se retournent vers lui.

– Qu'est-ce qui se passe?

– Christine ne bouge pas! Elle est toute tordue.

En effet, Christine semble avoir bien mal reçu le choc de l'arrêt du véhicule. Elle est à moitié étendue sur le sol, le cou très penché et étiré vers la gauche, les yeux à demi fermés.

— Merde! siffle Érick, le seul de la gang qui utilise de gros mots.

Il se lève de son banc et se penche sur Christine. Il frappe des mains en avant d'elle, mais elle ne réagit pas. Il la pince... toujours aucune réaction.

— Elle est inconsciente, on dirait.

Il approche le revers de sa main de la bouche et du nez de son amie, comme il a appris à le faire dans ses cours de gardien averti et de RCR.

— Elle ne respire pas... murmure-t-il.

— QUOI? s'écrie Pascal.

— Elle ne respire pas! VITE! APPELEZ UNE AMBULANCE!

Pascal entend la porte de l'autobus qui s'ouvre et des pas qui viennent vers eux. C'est monsieur

Georges, qui les suivait en voiture.

— Laissez-moi passer, les enfants! tonne la voix du directeur.

Les élèves se tassent, et le directeur se penche sur Christine.

— Il ne faut pas lui bouger le cou… murmure le directeur en sortant son cellulaire. Toujours pas de signal, ajoute-t-il. Gérard, votre émetteur radio fonctionne-t-il? demande le directeur au chauffeur d'autobus.

— Je ne reçois que des parasites. J'ai averti dès que j'ai perdu le contrôle du véhicule, mais je ne sais pas si nous avons été entendus.

— Bon, on va devoir se débrouiller. Apportez-moi le collier cervical.

Le conducteur de l'autobus arrive, quelques instants plus tard, avec un gros collier blanc que le directeur ouvre et glisse délicatement autour du cou et de la tête de Christine. Il installe un espèce de carcan de plastique sur la tête de la jeune fille.

— Pascal, mon homme, tu vas devoir m'aider. Tu crois que tu peux?

— Je… je… je…

— Tu es capable, tu vas voir. Tu ne voudrais pas que Christine ait mal, non?

— Non.

Pascal est incapable de contrôler le tremblement dans sa voix. Érick a dit que Christine ne respirait plus. Ils sont pris dans le bois! Christine va mourir ici!

— Pascal, concentre-toi sur ma voix. J'ai besoin de toi. On va devoir avancer Christine pour bien installer le collier. Tu vas devoir m'aider. Il

faut juste l'avancer un petit peu...
Avant, tu vois les deux attaches sur
le haut?

– Ou... oui.

– Tu dois les attacher.

Pascal lève une main tremblante
vers la tête de son amie et referme
lentement la première attache à
languette.

– Continue, mon grand. Tu vas
réussir.

Pascal dirige sa main vers l'autre
attache, mais il se met à trembler de
plus en plus en voyant le visage de
Christine qui prend une teinte plus
grise. Il échappe un sanglot, puis
sent la main d'Ubald sur son épaule.

– Tu es capable, Pascalou. Fais ça
pour Karaté Christine.

Pascal renifle un bon coup et, la

main sûre, il attache la deuxième languette.

– Bravo! Maintenant, tu m'aides à avancer Christine, juste un peu, pour que j'attache le derrière du collier, et ensuite, son cou ne bougera plus. On va pouvoir la soigner. Allez, tu pousses un peu vers l'avant, dans trois, deux, un, go!

SURPRISE

Pascal donne une petite poussée à Christine, et le directeur glisse sa grosse main aux doigts velus derrière Cricri et attache le collier et le harnais qui la maintiendront droite. Il enlève ensuite son manteau et l'étend sur le plancher, avant de prendre le corps de Christine et de l'installer délicatement sur le vêtement. Elle a la tête de travers, vers Pascal.

— Bon, là Pascal, c'est le plus difficile. Je ne peux pas tourner sa tête, et il faut lui donner le bouche-à-bouche.

Pascal regarde le directeur, les yeux ronds.

— Je n'ai jamais fait ça!

— Ce n'est pas grave, c'est facile.

Tout en parlant, le directeur a mis ses doigts sur le poignet de Christine.

— Je vais la masser. Chaque fois, je vais compter jusqu'à cinq, et toi tu vas souffler après le cinq. Tu souffles comme si tu expirais normalement, mais tu le fais dans la bouche de Christine, en lui bouchant le nez.

— Allez, Pascalou. Tu peux le faire, disent en même temps Érick et Ubald.

Pascal s'agenouille dans la neige fondue et se penche vers son amie. Il se sent tout chancelant, sur le point de vomir à cause de tout ce qui se passe.

Après six soufflées, Christine émet un long râle, et recommence à respirer seule.

— Tu peux arrêter, Pascal. Elle respire.

Le directeur se relève et dit à Érick :

— Tu peux lui tenir la main? Et surveille pour qu'elle ne bouge pas. Je reviens.

Pascal suit du regard le directeur, qui va discuter avec le conducteur. Pascal entend les mots « crevaison », « impossible », « aucune communication » et comprend qu'ils sont pris ici, en pleine tempête. Bien sûr, monsieur Georges pourrait les conduire au camp du lac Frippé dans sa voituro, mais il doit avant tout retourner en ville pour emmener Christine à l'hôpital. Que va-t-il faire?

Des phares balaient l'autobus. Ils arrivent de plus loin dans la forêt! Un gros camion utilitaire sport s'arrête à la hauteur de l'autobus, et une silhouette descend du véhicule, traverse la route et monte dans l'autobus.

Lorsqu'elle enlève son capuchon, Pascal sursaute en se disant que c'est impossible! La silhouette, dans un manteau blanc déjà couvert de neige, présente des boucles rousses. C'est Bergeronne la démone! Les enfants se taisent dans l'autobus en reconnaissant la suppléante qu'ils détestent tous.

– Monsieur Siméon, que s'est-il passé?

— L'autobus a fait deux crevaisons en même temps!

— Oh là là... Vous avez besoin d'aide? Je peux vous aider à transporter les enfants au camp, si vous voulez.

— En fait, Mélissa, je vous demanderais plutôt un autre service... Une élève est blessée, Christine Martel... Vous pourriez l'amener à l'hôpital? Pendant ce temps, je pourrais emmener les enfants au camp. Vous pourriez aussi envoyer une dépanneuse pour sortir l'autobus de sa position précaire.

— Avec grand plaisir. Et... je voudrais m'excuser pour cet après-midi. Je n'ai pas été correcte avec vous, Georges.

— Excuses acceptées, Mélissa. Vous avez de la place dans votre véhicule pour étendre une enfant?

– Je vais en faire et je reviens.

Elle lève la tête avant de sortir, et Pascal sent le regard glacé de la suppléante qui se pose sur lui. Est-ce de la haine qu'il voit dans les yeux de la démone?

Elle remet son capuchon et disparaît dehors. Quand la porte de l'autobus s'ouvre, Pascal a l'impression d'entendre des jappements. Mais non, raisonne-t-il, c'est impossible qu'un chien, même qu'un loup, soit dehors par une telle tempête.

Monsieur Georges revient vers Pascal et ses amis, et se penche sur Christine. Pascal ramène son attention vers lui.

– Ne vous inquiétez pas, les

copains. Madame Bergeron va amener Christine à l'hôpital et je vous conduirai au camp. Nous sommes presque arrivés… Demain, si la température le permet, ceux qui voudront retourner chez eux pourront le faire.

– Vous ne pouvez pas faire ça, monsieur Georges, murmure Pascal.

– Pourquoi tu dis ça?

– Parce que Bergeronne la démone nous déteste. Elle n'amènera pas Christine à l'hôpital. Elle va se venger… dit Ubald, qui a été aussi saisi que Pascal par l'arrivée inopinée de la suppléante.

– Voyons, de quoi vous parlez?

– Vous ne trouvez pas ça bizarre qu'elle soit ici? questionne Érick.

– Surtout après la photo avec les

X rouges, ajoute Pascal.

– Quelle photo? demandent en même temps le directeur et les deux amis.

Pascal réalise qu'il s'est échappé, alors il déballe en vitesse ce qu'il a trouvé chez lui et y ajoute ses réflexions, sous le regard incrédule du directeur.

– Pascal, tu exagères, et tu n'as aucune preuve de ce que tu avances.

– Je l'ai, la photo. Elle est dans mon bagage.

– Mais rien ne fait le lien avec madame Bergeron.

– Et ce qu'elle a dit cet après-midi? Et son arrivée? Vous ne trouvez pas ça étrange?

– Madame Bergeron possède un chalet dans la région. Elle y est peut-être allée pour réfléchir.

– Ou pour préparer son plan… murmure Ubald.

– SUFFIT! ordonne le directeur. Je vais transférer Christine dans le véhicule de madame Bergeron, et elle va l'amener à l'hôpital. Votre délire devra attendre la fin de la tempête, quand nous serons tous au chaud au camp. Les histoires de peur, c'est demain soir!

Le directeur soulève délicatement Christine et la transporte jusqu'à l'extérieur. Il la glisse sur la banquette arrière du véhicule de Bergeronne la démone. Le camion repart lentement sur la chaussée enneigée. Quand le directeur vient reprendre son manteau tout détrempé, il dit à Pascal et à ses amis :

— Venez, vous êtes du premier voyage.

Ils descendent de l'autobus et prennent leurs bagages. Pascal remarque que le compartiment où était son sac est déjà ouvert, et qu'un contenant marqué d'une croix rouge est brisé. C'était là qu'était remisé l'appareillage qu'ils ont installé à Christine.

En ramassant son sac, il constate que la fermeture éclair est ouverte. En la refermant, il remarque la photo marquée des X.

Elle n'est plus dans son cadre.

Le cadre sur lequel étaient tracés les X.

LE CAMP

Il décide de garder ça pour lui, déjà que monsieur Georges ne le croit pas. S'il fallait qu'en plus il ait l'impression que Pascal lui a menti…

Les trois garçons aident le directeur à déneiger sa voiture, puis s'installent et la voiture démarre. C'est une petite auto. Ubald et Érick, assis avec leurs bagages à l'arrière, sont très coincés l'un sur l'autre. Pascal a hérité de la place à l'avant. Il voit la neige qui tourbillonne dans la lumière des phares de la voiture, une neige épaisse, folle, qui semble ne jamais vouloir s'arrêter. Une neige éternelle.

Pascal ne peut s'empêcher de faire la rime, dans sa tête : « Une neige éternelle. Une neige mortelle. »

Il frissonne de nouveau. La voiture dérape sur la chaussée disparue sous le tapis blanc.

— Heureusement qu'on a des pneus à clou! Ne vous inquiétez pas, les enfants, on va y aller lentement, et on va finir par arriver.

Près d'une heure plus tard, monsieur Georges bifurque à sa droite et, à travers la neige, Pascal distingue des lueurs. Le directeur klaxonne. Le temps qu'il stationne sa voiture près des autres véhicules, dix personnes sont sorties d'un chalet et viennent à sa rencontre.

Tout en contrôlant la panique,

le directeur explique ce qui s'est passé. Les comédiens et animateurs du camp sautent dans leurs voitures pour aller chercher des jeunes à l'autobus. Madame Carmen s'approche de Pascal et de ses amis et leur dit :

— Venez à l'intérieur, les enfants. Il y a du chocolat chaud.

Les trois jeunes garçons ne se font pas prier. Ils suivent l'enseignante dans le grand chalet, tandis que monsieur Georges repart avec sa voiture pour un autre voyage. Pascal compte rapidement : ils ont dix voitures, qui pourront prendre trois enfants chacune... ce qui donne trente pour le premier voyage, ce qui implique que des voitures devront retourner à l'autobus. À moins que certaines ne prennent quatre passagers, ce qui est possible s'ils peuvent mettre les bagages dans le coffre.

Pascal monte les marches qui mènent au chalet lorsqu'il s'arrête. 10 X 3... c'est le problème de maths qu'il n'a pas fait cet après-midi! Saisi de panique devant ce phénomène incompréhensible, il fige.

Madame Carmen revient le chercher et passe son bras autour de ses épaules.

— Allez, Pascal. Je sais que ta soirée a été difficile, mais ne t'inquiète pas, ton amie va s'en sortir. Elle doit déjà être à l'hôpital à cette heure-ci.

Pascal regarde sa montre : déjà presque minuit. Il hoche la tête et suit son enseignante dans le chalet.

À l'intérieur, tout est décoré comme à l'Halloween : de fausses chauves-souris pendent du plafond, des rubans orangés et noirs s'étirent d'un côté à l'autre de la pièce, des squelettes sont assis dans quelques sièges, devant des épouvantails et de gros fantômes gonflables. La musique qui joue est faite de piano et d'orgue, avec des sifflements inquiétants, des bruits épeurants et des craquements suspects.

Carmen installe les garçons sur un divan et leur apporte des chocolats chauds fumants, avant de s'asseoir en face d'eux et d'arrêter la musique.

La chaleur du liquide se répand dans le corps de Pascal, ce qui l'aide à se détendre. C'est Ubald qui est le promier à briser le silence peu rassurant.

— On pourrait appeler en ville, madame Carmen, pour savoir si Christine est arrivée à l'hôpital?

— Je voudrais bien, mon beau Ubald, mais la ligne téléphonique est coupée, et mon cellulaire ne reçoit aucun signal. Et comme Internet arrive par la ligne téléphonique… Nous sommes isolés. Mais ne vous inquiétez pas. Madame Bergeron doit avoir pris soin de votre amie.

Pascal se sent étourdi et son corps vacille sur le divan. Il échappe quelques gouttes de chocolat chaud et son corps penche vers l'avant.

Carmen s'agenouille devant lui et lui enlève sa tasse, qu'elle dépose sur une table d'appoint. Sur le divan, les deux autres garçons commencent à tanguer eux aussi.

— Ne vous en faites pas. J'ai

glissé un petit somnifère dans votre chocolat chaud pour vous aider à dormir. Sinon, vous vous inquiéterez toute la nuit et vous ne dormirez pas. Je vais vous coucher dans les chambres des animateurs, tout près. Faites de beaux rêves.

Pascal est incapable de rouvrir les yeux ou de prononcer autre chose que « Mefpfphfphf » pour dire « merci ». Il sent les mains de son enseignante qui le soulève et se sent déposé dans un lit, quelques instants plus tard. On le borde, et il laisse le sommeil l'emporter.

Plus tard, beaucoup plus tard, Pascal émerge du sommeil quelques instants et entend du raffut dans le chalet. En se retournant, il voit par la fenêtre que la neige tombe encore plus dru, si c'est possible, mais le somnifère le ramène rapidement dans les brumes de la nuit, jusqu'au petit matin.

UN AUTRE X?

Pascal se réveille. Autour de lui, c'est le raffut total. Il ouvre les yeux, le regard encore embrumé. La chambre est pleine de silhouettes floues et un visage se détache de la masse, c'est celui de madame Carmen, qui le secoue.

– Bon, il se réveille. Bienvenue parmi nous, Pascal.

Il ne répond pas. Qu'est-ce que madame Carmen fait dans sa chambre? Pourquoi y a-t-il plein de gens avec lui dans le sous-sol de sa maison?

– Pascal? Allez, dis quelque chose!

– Madame Carmen? Pourquoi vous êtes dans ma chambre?

– Pascal, nous sommes au camp d'hiver! Allez, réveille-toi!

Pascal, confus, hoche la tête et referme les yeux. C'est sûrement juste un mauvais rêve... Soudain, il se souvient. La photo avec les X rouges, l'accident d'autobus, Christine, Bergeronne la démone et le chocolat chaud.

Il se redresse dans son lit.

– Là il est réveillé, on dirait! le taquine Ubald.

– Madame Carmen, comment va Christine?

– Impossible de le savoir, mon grand. Toutes les communications sont coupées.

– Mais…

Pascal sent les larmes qui lui picotent les yeux et se retient de pleurer.

– Bon, allez, les enfants, nous avons des activités prévues aujourd'hui. On ne peut rien faire pour votre amie d'où nous sommes, alors aussi bien profiter de votre camp! s'exclame l'enseignante.

Pascal réalise qu'il porte encore ses vêtements de la veille. Ubald s'approche de lui et dit : « Madame Carmen a raison. On peut s'inquiéter pour Christine, mais comme on ne peut pas agir… »

– Mais U, ils pourraient nous ramener en ville, non?

– Monsieur Georges dit que la

route est beaucoup trop enneigée, et ils n'ont pas de motoneiges. Il faudra attendre que la route soit dégagée de toute façon. Alors, aussi bien profiter de la neige pour faire les activités prévues! Allez, viens! Je t'attendais pour qu'on traverse à notre chalet.

Pascal, déçu de ne pas avoir de nouvelles de Christine, suit Ubald et enfile ses vêtements d'hiver. Dehors, la couche de neige dans laquelle ils marchent est très épaisse... Heureusement que quelqu'un est sorti ce matin pour la taper, car sinon les garçons s'y enfonceraient. Pascal est étonné de voir la quantité de neige tombée. Les voitures, pourtant rentrées dans la nuit, sont ensevelies jusqu'au capot!

En entrant dans leur chalet, les

garçons sont accueillis par André, leur animateur, vêtu de son costume de vampire.

— Allez, vite, les garçons, à la douche. Ensuite, c'est le déjeuner et la première activité débutera! Vite, avant que je ne suce votre sang!

André éclate d'un rire sinistre et Pascal se précipite vers le lit où on a déjà déposé ses bagages. Il en sort ses vêtements de la journée, sa serviette et son savon, et se dirige vers la salle d'eau, avec Ubald. Là, heureusement, il y a cinq douches séparées par des cloisons, et Pascal est libre de se laver sans gêne. Si ça avait été une douche commune... Il aime autant ne pas y penser!

Après la douche, dans la pièce embuée par l'humidité de l'eau chaude, Pascal s'essuie et enfile ses vêtements propres. Comme il va sortir de la pièce, il remarque du mouvement par une fenêtre qui donne dans l'aire commune aux douches et aux toilettes.

Il tourne la tête.

Un gros X rouge encombre la fenêtre de la salle d'eau!

Pascal se dépêche à sortir et à se rendre à la chambre où se trouve son lit.

— Pascalou, tu es tout blême! On dirait que tu as vu un fantôme!

— Ne me niaise pas, U... Je... je...

Sa voix tremble! Il doit vraiment avoir une mine affreuse!

— Le X rouge... dans la salle de douches.

Ubald comprend que son ami fait référence aux X rouges qu'il ne leur a pas montrés sur la photo. Il se précipite vers la salle d'eau, et s'arrête dans la porte. Quand Pascal arrive, Ubald se tourne vers lui et lui dit : « Pascal, va falloir que tu m'expliques. »

Dans le fond de la pièce, la fenêtre est propre, sans aucune trace de X rouge.

CHASSE AU TRÉSOR

Ubald et Pascal voudraient bien pouvoir jaser de tout ce qui se passe depuis hier, mais ils sont déjà en retard. Ils déjeunent en vitesse, enfilent leurs habits d'hiver. Pascal glisse son porte-bonheur dans la poche intérieure de son manteau. Ils se joignent à la première activité de la journée, qui est improvisée : les jeunes doivent se regrouper en équipes et déneiger une voiture, ainsi que son espace de stationnement. Les deux amis se retrouvent dans une équipe avec Érick et d'autres enfants qu'ils ne connaissent pas.

La compétition est féroce. Pascal se retrouve rapidement en sueur sous son manteau. Cependant, stimulés par le défi, les enfants pellettent à une vitesse impressionnante et toute la cour est dégagée en environ une heure. L'équipe de Pascal et ses amis gagne la première place! Ils se font applaudir, et Pascal, malgré son épuisement, est fier de lui!

Madame Carmen appelle les campeurs au centre de l'espace dégagé. Ils doivent se réunir selon leurs chalets. Ubald et Pascal sont ensemble, mais Érick se retrouve dans une autre équipe. Madame Carmen présente aux différents campeurs les animateurs-comédiens qui passeront la semaine avec eux. Outre André le vampire, madame Carmen et monsieur Georges, il y a huit animateurs, tous déguisés en créatures horrifiantes. Ils porteront leurs costumes jour et nuit. Madame Carmen explique que les animateurs doivent s'assurer que les campeurs passent la plus effrayante, mais la plus belle semaine de leur vie. Ils peuvent piéger les chambres, jouer des tours, provoquer des frayeurs... « Vous êtes tous ici pour vivre une semaine de peur, et bien vous allez être servis! »

Pascal frissonne... Lui, ses peurs, elles sont déjà commencées! Il n'a même pas eu le temps de jaser avec ses amis que déjà, la chasse au trésor commence! Malgré l'épaisse couche de neige tombée dans la nuit, la quête aura lieu, dans la forêt. « Les animateurs ont dissimulé, dans les bois, divers objets reliés à leur personnage. Chaque équipe sera guidée près d'un des dépôts par son animateur et devra trouver son objet. Avec l'objet, il y aura un indice pour vous guider vers votre prochain objectif... Heureusement pour vous, les emplacements sont marqués dans les arbres, sur les troncs ou dans les branches. »

La difficulté, comprend Pascal, sera de se déplacer à l'aide de raquettes et d'user de vitesse, donc d'intelligence, pour gagner. Les animateurs distribuent les raquettes et en expliquent les rudiments aux campeurs qui n'en ont jamais fait. Heureusement pour Pascal, il connaît déjà le fonctionnement des raquettes grâce à son cours d'éducation physique. En quelques minutes, Ubald et Pascal sont harnachés et prêts à partir à l'aventure!

Dès que toute leur équipe est prête, la première, les garçons et filles s'élancent à la suite d'André le vampire. Ils avancent d'un bon pas et s'éloignent du campement en s'enfonçant dans le bois. Les arbres sont courbés par le poids de la neige, mais le soleil, qui frappe fort, devrait en faire fondre une partie pendant la journée.

Après une bonne demi-heure de marche, André mène sa troupe dans un sentier secondaire qui les rapproche de la montagne. Bientôt, ils se retrouvent devant un arbre sur lequel est cloué un petit cercueil, de la grandeur d'un enfant. Sans aucun doute, c'est le signal du vampire.

Ubald est le premier rendu, et le petit blondinet ouvre le cercueil.

Dans le fond, épinglée sur le velours rouge qui tapisse l'intérieur du coffre, se trouve une feuille sur laquelle l'énigme est posée : *Sans manoir ni caveau, sans linceul ni cercueil, où se cachaient les ancêtres de Nosferatu et Dracula?*

Ubald répète l'énigme à voix haute au bénéfice des autres membres de l'équipe. André se tient à l'écart, car il ne peut pas les aider. Pascal regarde autour de lui pour tenter de comprendre… Quand son regard croise une grotte, au flanc de la montagne, tout près, il comprend le sens de l'énigme : où se cachaient les vampires avant de pouvoir s'enfermer dans une bâtisse ou un coffre? Pour être dans le noir, ils vivaient dans des cavernes!

– Je l'ai! s'écrie-t-il.

Les autres le suivent vers la grotte, mais il est le premier à entrer et à saisir une lampe de poche, qu'il pointe vers le fond de la caverne. Les autres, Ubald au premier rang, se pressent derrière lui.

Pascal balaie le sol et les parois… Il n'y a rien, sauf une flèche, peinte sur la roche, qui indique de prendre une galerie située à gauche. Il s'y dirige, les autres sur les talons, et s'arrête à l'embranchement. Une odeur répugnante s'élève dans le couloir secondaire, et Pascal la reconnaît rapidement : c'est celle du sang!

– Allez, Pascal, avance! Je veux savoir ce que c'est!

Ubald bouscule son ami et s'empare de la lampe de poche. Il se rend dans le couloir, suivi des autres et, dernier de tous, Pascal leur emboîte le pas. L'odeur est de plus en plus forte. Il a envie de vomir, mais il se retient. Quand, devant lui, il entend des exclamations de dégoût et d'horreur, il se dépêche. En arrivant vis-à-vis des autres, il voit pourquoi tout le monde est malade : sur un tas de roches, repose le corps de Feldspath, son chien, dans une immense flaque de sang.

ENLÈVEMENT

Alerté par les cris des enfants, André accourt pour voir ce qui se passe. Comme les jeunes, il est surpris par la scène qu'il trouve devant lui.

Pascal s'est avancé vers son chien et le regarde dans les yeux, des yeux vitreux, des yeux morts.

André fait sortir les enfants et s'approche de Pascal, qui a été rejoint par Ubald. Les deux garçons regardent Feldspath en pleurant. André leur pose une main sur l'épaule et les oblige à le précéder à l'extérieur. Il écoute Pascal qui, à bout de nerfs, déballe tout ce qui lui est arrivé depuis hier, de la photo marquée des X rouges à la fenêtre de la douche ce matin, sans oublier ce qu'a dit Bergeronne la démone ni la silhouette qu'il a vues pendant la tempête, quand l'autobus était immobilisé. André l'écoute et affiche d'abord un air étonné, puis franchement excédé par les révélations de Pascal.

– Tu es paranoïaque, je crois. Tu fais des liens qui n'ont aucun sens.

– Mais c'est mon chien! Feldspath est mort! réplique Pascal en reniflant bon coup.

À l'extérieur, André appelle au ampement avec son émetteur-écepteur, pour expliquer ce qu'il ient de trouver. Madame Carmen lui demande de ramener ses campeurs aux chalets : ceux qui le désirent pourront ensuite repartir à la chasse, et les autres équipes n'iront pas à la grotte.

Les membres du groupe de Pascal proposent à André une alternative : comme Pascal et Ubald sont les deux seuls qui ne désirent pas continuer le rallye, ils pourraient retourner ensemble au campement. Le trajet est très simple, presque en ligne droite, et leurs traces sont visibles dans la neige.

André évalue la proposition et décide de demander à Pascal ce qu'il préfère.

Tous les regards se tournent vers lui, et il se sent rougir. Il n'a pas envie de se mettre tout le monde à dos en les obligeant à prendre du retard dans la chasse au trésor. Après tout, si la route n'est pas dégagée, il sera avec eux encore une journée. Il ne veut pas être la risée de tous. Surtout que Karaté Christine n'est pas là pour l'aider.

Soudain, Pascal aperçoit du mouvement du coin de l'œil, provenant de l'ouverture de la caverne. Il tourne la tête, mais n'aperçoit que quelques branches qui bougent, laissant tomber de la neige qui cache le sol et empêche Pascal de voir si des pas s'en vont dans cette direction.

Finalement, sous le regard insistant de ses camarades, et celui implorant d'Ubald, qui n'a pas plus envie que lui de se mettre les autres à dos, Pascal accepte que lui et son ami s'en retournent seuls vers le chalet. Après tout, le ciel est bleu, le soleil brille et il ne vente pas. Avec les traces dans la neige pour se guider, ils ne courent aucun danger!

Ils s'enlignent donc sur le sentier pendant qu'André donne les indications pour la prochaine escale.

Ubald et Pascal marchent dans le sentier. Pascal ne peut pas s'empêcher de réfléchir à toute cette histoire.

— Toi, U, tu me crois?

— Je te crois, Pascalou, c'est sûr. Sauf que ton histoire est pleine de trous.

— C'est parce que je n'ai pas TOUT compris. Mais je suis certain que c'est Bergeronne la démone qui est derrière tout ça. Elle m'en veut, nous en veut, pour le coup de la colle.

— Mais tu crois vraiment qu'elle

aurait pu faire ça à ton chien?

La vision de Pascal se brouille, et il répond :

— Feldspath était marqué d'un X rouge. Avec Christine, ça fait deux, non?

— Tu… tu crois que Cricri est morte aussi? demande Ubald en bégayant.

— Ce n'est pas ça que je voulais dire… Peut-être que la démone a organisé l'accident d'autobus.

— Là tu exagères, Pascal. Comment aurait-elle pu arranger ça?

— Je ne sais pas. Mais elle aurait pu s'arranger pour que l'autobus fasse deux crevaisons.

Ubald vient pour répondre quand il reçoit un flocon de neige sur le nez. Les deux garçons lèvent le regard : quelques nuages sont apparus de nulle part, et des flocons encombrent le ciel.

— Il commence à neiger. Va falloir se dépêcher, dit Ubald.

Les deux garçons avancent le plus rapidement possible, mais les flocons tombent de plus en plus rapidement autour d'eux. Le ciel bleu a été remplacé par une grisaille qui s'étend à tout le ciel. Bientôt, les deux amis marchent dans un monde blanc et gris.

— Il faut se cacher quelque part, le temps que la tempête passe, dit Ubald.

— Où ça? On ne voit rien! rétorque Pascal.

— On va reculer un peu et se terrer dans le bosquet d'arbres qu'on vient de dépasser.

À pas de loup, Pascal et Ubald reculent, mais se perdent de vue tellement la neige est drue. Pascal sent les troncs d'arbres près de lui et se glisse entre les conifères, où il respire un peu mieux.

– Ouf! Ça fait du bien, hein, U! s'exclame-t-il.

Il n'obtient aucune réponse.

Il se tourne et se retourne, mais il doit vite se rendre à l'évidence : il est seul. Son ami n'est pas avec lui.

– Ubald! crie Pascal.

– Elle m'a… lui parvient la voix d'Ubald, comme s'il était déjà loin.

« Elle m'a… » Que veut dire Ubald? Pourquoi ne complète-t-il pas sa phrase?

La révélation frappe Pascal : Bergeronne la démone a enlevé Ubald!

INATTENDUE

Pascal voudrait bien se lancer dans le sauvetage de son ami, mais la neige est trop drue pour lui permettre de suivre quelqu'un. Et surtout, il a peur. Il est paralysé par la peur de ce qui pourrait arriver à son ami, et la peur de ne pas savoir ce qui pourrait lui arriver, à lui. Il faut qu'il se calme, mais il en est incapable. Des larmes d'impuissance coulent sur ses joues, et il les essuie avec sa mitaine.

Pourquoi lui? Pourquoi avoir joué ce mauvais tour à Bergeronne la démone? Parce qu'elle n'était pas gentille avec eux? Certains profs ont cette réputation, Pascal le sait. Et Bergeronne n'était pas la première suppléante à se montrer très sévère avec eux. Alors pourquoi l'idée de la colle? Pourquoi avoir mené cette idée jusqu'au bout? Pourquoi?

La grotte! C'est là qu'elle a emmené Ubald! La silhouette qui sortait de la caverne, c'était elle, Bergeronne, qui allait préparer son prochain piège!

Se rendre à la caverne ne devrait pas être trop compliqué... c'est presque en ligne droite! Dès qu'une éclaircie se fera entre les arbres, Pascal pourra y aller.

S'il trouve le courage d'y aller!

Qui sait ce qu'elle pourrait faire à Ubald s'il ne va pas le sauver? Peut-être la même chose qu'à Feldspath!

Pascal n'a pas le choix. Il prend une profonde respiration. La neige tombe de moins en moins. C'est le moment ou jamais.

Il sort du bosquet d'arbres et repère la montagne, devant lui. Il se déplace le plus rapidement possible, et en quelques minutes, il revient à l'arbre où est cloué le cercueil, maintenant enneigé. Pascal remarque qu'à certains endroits, la neige a été balayée, et que des traces de raquettes sont visibles, malgré la neige fraîchement tombée. Intrigué, il se rend au petit cercueil et l'ouvre.

Il tombe sur le dos et recule en vitesse. Le cercueil n'est plus vide.

Félicia! Félicia, qui devrait être dans le Sud avec ses parents! Félicia qui est bien attachée dans le cercueil pour ne pas tomber, les yeux fermés et la bouche cachée derrière un morceau de tissu.

Pascal se relève et approche lentement. Il enlève sa mitaine et touche son amie : elle est chaude, donc ça ne fait pas longtemps qu'elle est attachée dans le cercueil. Son souffle fait une petite fumée dans les airs. Son souffle! Fiou! Elle est toujours vivante!

Pascal sent une détermination, qui lui est étrangère, prendre place devant tous ses autres sentiments. Il ouvre son manteau et sort de sa poche intérieure son porte-bonheur. Il déplie les lames de son couteau suisse et s'attaque aux cordes qui retiennent Félicia.

Avec le temps et de la force bien placée, il réussit à libérer son amie, qui lui tombe dans les bras. Ils chutent tous les deux dans la neige. Pascal amortit le choc tandis que Félicia se réveille et se débat.

– Chut! C'est moi, Pascal!

Félicia cesse de bouger.

– Pascal? Pascalou! Tu es venu me sauver! Merci!

Elle place ses bras autour du cou de son ami et lui plaque un baiser sur le front. Pascal se sent rougir.

– Vite, Féli, c'est Bergeronne la démone... Elle veut tous nous faire du mal, je le sais. Elle a tué Feldspath et Christine est à l'hôpital et elle a enlevé Ubald...

Pascal reprend son souffle pendant que Félicia le regarde sans rien comprendre. Pascal prend le temps de lui expliquer ses déductions, et Félicia lui propose d'aller chercher madame Carmen au campement pendant qu'il surveillera la caverne. Quand elle reviendra, madame Carmen s'occupera de tout. Pascal est indécis, mais Félicia le convainc que c'est la meilleure chose à faire.

Elle a raison. Pascal lui donne ses raquettes et lui explique comment se rendre au campement. Il la regarde s'éloigner et se retourne vers la grotte.

Il ne restera pas là sans rien faire. Il va essayer de libérer son ami. C'est avec une détermination qu'il ne se connaît pas qu'il décide que jamais il ne va laisser tomber Ubald le malin. Si les rôles étaient inversés, Ubald le sauverait. Alors Pascal fera pareil. Il ira sauver Ubald et ensemble, ils neutraliseront Bergeronne la démone.

Pascal entre dans la caverne et prend une lampe de poche près de l'entrée. Il s'avance jusqu'à l'embranchement, et remarque un courant d'air, qui provient d'une saillie dans la paroi rocheuse. Il y a une autre galerie que celle où ils ont trouvé Feldspath.

Pascal y pénètre à pas de loup, en dirigeant sa lumière tout juste devant ses souliers pour ne pas alerter la démone si elle est là. Après un moment et quelques détours, il aperçoit de la lumière devant lui. Il éteint sa lampe de poche et se guide à la lueur.

Lorsqu'il se trouve plus près, il entend une voix qu'il reconnaît. Celle de Bergeronne.

– Vous vous croyiez bien malins de me piéger comme ça devant tout le monde. Avec vos sourires espiègles, vos regards complices, vos papiers échangés… C'est terminé, le temps où vous riiez de moi!

– Mais madame Bergeron, je n'ai rien fait, proteste la voix d'Érick.

Érick? Elle l'a capturé lui aussi!

– Tu fais partie du groupe, comme les autres. Et vous allez tous payer!

PASCAL À LA RESCOUSSE!

— Dès que j'aurai attrapé ce voyou de Pascal Houle, vous allez tous y passer. Je me suis déjà occupée des deux filles de votre groupe.

Ubald et Érick affichent des airs surpris : ils ne savaient pas que Félicia avait été capturée. Pascal, lui, se demande ce qui est arrivé à Christine.

— Vous regretterez de m'avoir humiliée.

Pascal jette un œil dans la grotte. Ses amis sont ligotés par terre, en face de lui, tandis que Bergeronne la démone est debout devant eux, dos à lui.

S'il veut atteindre ses amis, il devra affronter la démone en premier. Elle a l'air d'être devenue complètement folle. Pascal se demande jusqu'où elle ira.

Soudain, la démone se penche vers un émetteur-récepteur et le porte à son oreille.

– Les morveux, vous la bouclez, dit-elle en s'avançant vers Ubald et Érick pour leur insérer un morceau de tissu dans la bouche. Et pas un bruit! Vous serez les premiers à y passer si vous osez bouger!

Pascal comprend qu'elle épie les échanges des animateurs et de madame Carmen sur les émetteurs-récepteurs. Félicia est sûrement arrivée au campement!

Quand Bergeronne la démone se relève, elle se dirige vers le fond de la galerie et se met à fouiller dans un tas d'objets divers. Pascal y voit un genre de longue bande de caoutchouc pleine de clous. Il comprend que c'est Bergeronne qui a provoqué l'accident d'autobus! En roulant sur la bande et les clous, l'autobus a subi deux crevaisons en même temps, comme l'a dit le conducteur.

Le déroulement des événements prend place dans la tête de Pascal. Bergeronne était prête depuis plusieurs jours à « s'occuper d'eux ». Elle a dû enlever Félicia en premier, puis s'en prendre à Feldspath, avant de filer en vitesse, avec une bonne demi-heure d'avance, sinon plus, vers une cachette, pour y dissimuler ses victimes, avant de revenir poser son piège sur la route et de se cacher plus loin, pour agir après l'accident… Ce matin, elle a capturé Érick en premier, sûrement, et ensuite Ubald. Et abandonné Félicia dans le cercueil en espérant qu'elle y gèlerait!

Bergeronne farfouille toujours dans ses objets. Pascal doit en profiter! Il marche, le plus silencieusement possible, mais avec des bottes d'hiver, ce n'est pas évident. Il recule un peu, enlève son manteau, ses bottes et ses pantalons de neige, en silence, et s'avance à pas de loup vers la grotte. La suppléante est encore occupée. Pascal se glisse le long de la paroi, le plus subtilement possible, un pas à la fois. Il sent la sueur de nervosité qui lui dégouline dans le dos et ses jambes qui tremblent. Il a l'impression que ses genoux vont craquer, ou se cogner, ou exploser à chaque pas… Ubald l'aperçoit qui arrive et, sans faire de bruit, frappe Érick de l'épaule, pour qu'il se retourne. Ses yeux s'agrandissent.

Pascal est déjà fier de lui, fier d'oser essayer de sauver ses amis, même si la peur de se faire prendre ne le lâche pas, et ne le lâchera pas tant qu'ils ne seront pas sortis d'ici!

Il arrive à un mètre d'Érick, bien concentré sur son objectif. Il va pouvoir se glisser derrière lui et défaire ses liens avec son couteau suisse.

— Toi, ici? s'écrie Bergeronne la démone.

Pascal s'arrête et se retourne. La suppléante est encore près de ses objets, à l'autre bout de la grotte, mais le fixe, les yeux ronds, une main tenant un long couteau pointé vers lui. « Non! Je me suis fait prendre! » pense Pascal.

— Tu seras le premier à subir mon courroux! hurle Bergeronne la démone en s'élançant vers Pascal, le couteau levé.

Le garçon se penche sur Érick pour couper ses liens. La lame s'enfonce dans la corde avec facilité et les liens sont tranchés rapidement. Érick, encore incapable de parler à cause du tissu qui lui encombre la bouche, se lance dans les jambes de Bergeronne, qui trébuche. Dans l'escarmouche, le couteau de la suppléante tombe hors de sa portée. Érick la frappe de toutes ses forces, sans regarder où ses poings atteignent la démone. On ne l'appelle pas Érick les poings pour rien! Il est tellement enragé qu'il pousse des cris assez forts pour percer son bâillon. Pascal se penche sur Ubald, défait ses liens et lui libère la bouche.

— Vite, il faut trouver de la corde dans ses trucs pour pouvoir l'attacher elle aussi!

Pascal et Ubald se relèvent et courent dans le coin où Bergeronne la démone a entreposé ses objets. Pascal s'attaque à un sac à dos tandis qu'Ubald s'occupe d'une grande malle montée sur des skis, sûrement pour en faciliter le transport.

— Je l'ai! s'écrie Ubald en brandissant un rouleau de corde jaune.

Derrière eux, Érick et la démone se sont relevés. Leur camarade, malgré toute sa force, ne fait pas le poids contre une adulte. Surtout que Bergeronne leur démontre en un instant qu'elle pratique les arts martiaux! Elle envoie son pied au visage d'Érick, qui s'effondre, sonné.

Le couteau! Pascal l'aperçoit, autant à sa portée qu'à celle de la suppléante. Il s'élance en même temps qu'elle… mais trébuche avant d'y arriver. Bergeronne s'empare du couteau et regarde Pascal droit dans les yeux : « Tu te crois plus fin que moi? »

Comme elle lève la lame, Pascal voit du mouvement du coin de l'œil. Elle avait complètement oublié Ubald. La Bergeronne voit le regard de Pascal et tourne un peu la tête. Elle reçoit le rouleau de corde en plein visage et tombe à la renverse en gémissant. Pascal se lance sur elle tandis qu'Ubald déroule la corde pour qu'ils attachent la suppléante. Lorsqu'elle est bien ficelée, les deux garçons se retournent vers Érick.

Il est inconscient, mais toujours vivant.

— Votre amie...

— Christine?

— Elle est quelque part dans une autre grotte. Elle va mourir de froid si vous n'allez pas la rejoindre bientôt.

— Tu es vraiment un monstre, madame Bergeron! dit Pascal en terminant sa phrase sur un ton moqueur.

— Ris tant que tu veux, le morveux. Je n'ai pas dit mon dernier mot.

Pascal ne réplique pas.

— Viens, allons fouiller les autres pièces, dit-il à Ubald.

Les deux garçons s'enfoncent dans une galerie annexe et s'éclairent avec la lampe de poche de Pascal.

En moins de cinq minutes, ils trouvent Christine, presque nue, couchée sur la pierre, dans une flaque d'eau. Sa peau est bleutée et elle ne répond pas aux garçons qui tentent de la réveiller délicatement. Au moins, elle porte toujours son collier cervical.

– Qu'est-ce qu'on fait?

– On va au moins l'habiller. Allons chercher nos manteaux.

Quand les garçons reviennent, ils entendent un fort vacarme dans la tanière de Bergeronne la démone.

Les animateurs sont là, avec madame Carmen et Félicia. Madame Bergeron, elle, n'est plus là. Ses liens gisent au sol.

Elle s'est sauvée!

Félicia se lance sur ses amis, qui la prennent dans leurs bras. Érick se réveille et, encore tout étourdi, il se joint à ses amis.

Pascal explique ensuite ce qui s'est passé et les adultes vont s'occuper de Christine.

— Et madame Bergeron? demande madame Carmen.

— Elle s'est sauvée. On pensait l'avoir bien attachée, murmure Pascal.

Madame Carmen le serre contre elle.

— Ne t'en fais pas. C'est terminé maintenant. Tout comme le camp. Allez, on rentre à la maison.

ÉPILOGUE

Pascal arrive devant les grandes portes vitrées de l'hôpital et entre dans le vestibule. Il se dirige au cinquième étage, là où Christine est gardée en observation pour encore un bon moment.

Elle s'en est remise, heureusement, avec seulement quelques difficultés d'élocution et une jambe droite qui ne réagit pas rapidement. Elle fait de la physiothérapie tous les jours pour réapprendre à marcher correctement.

Pascal arrive au bon étage et sort

de l'ascenseur. Sur le cadrage d'une chambre, il remarque des ballons gonflés à l'hélium, et se dit que c'est bien plaisant de pouvoir faire la fête même dans un hôpital.

Il s'avance dans le couloir, et plus il s'approche, plus il se doute que les ballons sont attachés au cadre de porte de Christine. C'est effectivement le cas. Quand il franchit l'ouverture, un concert de plusieurs voix lui crie : « Surprise! »

Pascal se sent rougir instantanément. Le rideau entourant le lit de Christine s'ouvre devant ses amis et leurs parents, ainsi que madame Carmen, tous autour du lit de Christine. Cette dernière lui offre un sourire éclatant.

– Mais pourquoi une surprise?

– Pour te remercier de nous avoir

sauvés, dit Félicia.

— Pour ton courage et ta bravoure, dit Érick.

— Pour avoir compris avant nous, dit Ubald.

— Parce que tu as été exceptionnel, ajoute madame Carmen.

Christine ne dit rien, mais ses larmes parlent pour elle.

Pascal sent des larmes de joie sur ses joues, quand sa mère arrive derrière lui et le prend dans ses bras.

— Je suis fière de toi, mon petit amour. C'est grâce à toi que tes amis sont vivants.

— Et pour te remercier... dit monsieur Georges en ramenant ses mains de derrière son dos.

Il tient un petit chien! Un bouvier

bernois, noir aux pattes blanches, avec un petit collier couleur caramel.

– Nous avons pensé t'offrir ce petit chien tout mignon. Il ne remplacera jamais ton labrador, mais… il ne demande qu'à t'aimer! C'est une femelle, complète monsieur Georges.

Pascal s'avance et prend le chien dans ses mains. Le chiot lui donne un coup de langue sur le nez et tout le monde éclate de rire.

– Comment tu vas l'appeler? demande Ubald.

– Je vais l'appeler Bergeronne. Comme ça, nous n'oublierons jamais la démone.

Tout le monde applaudit, et Pascal embrasse son chien. Jamais il n'oubliera ce qui s'est passé. Et jamais il n'oubliera les dernières paroles de Bergeronne la démone : « Je n'ai pas dit mon dernier mot. »

Jamais.

ZACHARY ICKS

 Zachary Icks vit en ermite dans sa maison au cœur du Grand Nord québécois. Amateur de nature et de frissons, il a décidé d'écrire pour faire vivre des sensations fortes à ses lecteurs, tout en décidant de ne pas se cantonner dans un seul style. *Terreur au camp d'hiver* est sa première incursion dans l'horreur.

DANS LA MÊME COLLECTION :